发现*最棒*的自己

小松鼠搬家

王坤／著　马亮　肖铮／图

首都师范大学出版社
CAPITAL NORMAL UNIVERSITY PRESS

在一片郁郁葱葱的森林里，小松鼠爱迪正在草地上蹦蹦跳跳地追逐蝴蝶，他不小心撞在了一堆胡萝卜上。这堆胡萝卜可是小兔子花了一上午时间刚刚堆放好的。

这天，爱迪在树上逗弄新出生的黄莺宝宝。不经意间，他那毛茸茸的大尾巴将一只鸟宝宝从窝里扫了出来，要不是黄莺爸爸眼疾手快，他就闯下大祸了。邻居们都为小松鼠的莽撞头疼不已。

　　转眼到了深秋季节，小松鼠开始积极储备过冬的粮食。每天，他都把采来的蘑菇和松子收集到树洞里。可他发现了一件奇怪的事，随着时间的增加，树洞里的粮食不但没有多起来，反而减少了。

其实，很多邻居都看见过松鸦鬼鬼祟祟地出入小松鼠的粮仓，却从来没有人提醒他注意。当小松鼠终于了解事情的真相后，他伤心地想："看来大家都不喜欢我，要不怎么没人告诉我呢？"

小松鼠决定换一个地方做粮库。他琢磨着："这个新粮库要干燥、透光性好，更重要的是不能让松鸦发现。噢，有了，森林边上罗塞大叔住的地方就不错，松鸦肯定找不到。"

罗塞大叔原本是只性情豁达、豪爽的兔子，可自从他唯一的孩子被狐狸掠走后，他的脾气就变得越来越暴躁。久而久之，大家都和罗塞大叔疏远了。小松鼠思来想去，觉得没有比罗塞大叔家更不显眼的去处了。

于是，小松鼠趁着罗塞大叔外出，悄悄从他家厨房窗户溜了进去，扑面而来的胡萝卜和莴苣叶的味道，让他忍不住说道："我还是更喜欢松果和蘑菇的清香。"

随后，他连蹦带跳地来到宽敞的客厅，这里正对着大门，
虽然透气性和采光都不错，可小松鼠觉得客厅的保暖性差些。

小松鼠又来到卧室。这间屋子被太阳晒得暖烘烘的，既干燥又保温，他最终决定把粮仓设在卧室，并在房梁交叉处找到了一个理想的位置。

小松鼠利用罗塞大叔每天外出散步的机会，往卧室里搬运粮食。他跑回树洞，把存放在那里的松子和蘑菇都塞进自己的嘴巴里，然后鼓着腮帮子，一趟接一趟地运到新粮仓。

这天，正在房梁上存放粮食的小松鼠，没有听到罗塞大叔回家时的开门声，当他顺着房梁爬回地面时，刚好撞上走进卧室的罗塞大叔。

罗塞大叔吃惊地看着眼前不知从哪儿冒出来的小松鼠，气呼呼地说："出去，讨厌的小东西，这里不欢迎陌生人。"说完，抄起一把扫帚朝着爱迪打下去，爱迪吓得急忙躲闪。

可没等小松鼠站稳，罗塞大叔的扫帚又抢了过来。爱迪只好抓住一旁的窗帘迅速蹿了上去，这下罗塞大叔可拿他没办法了。

　　小松鼠知道罗塞大叔不会就这么罢休的。这天，他正在卧室的地板上吃松果，罗塞大叔突然现身，用手里的抄子，对着他扣了下去。

爱迪只好无奈地丢下大松果，拼命逃跑。罗塞大叔对他穷追不舍，直到他蹿上房梁，罗塞大叔才气急败坏地跺着脚放弃。

平时，一沾枕头就睡的罗塞大叔，自从小松鼠住进了卧室，他就辗转反侧，再也难以入眠。

更让罗塞大叔无法忍受的是，小松鼠的上蹿下跳会把房梁上的灰尘震下来，这些"扑簌簌"掉落的灰尘，呛得罗塞大叔不停地咳嗽。每当这个时候，罗塞大叔索性披衣起来，对着小松鼠就是一通穷追猛打。

罗塞大叔为撵走这只可恶的小松鼠，费尽心机。他翻出一个笼子，将绳子的一头系上榛子，放进笼子里；另一头系上一根小木棍，支在笼门上。只要小松鼠去吃榛子，就会牵动线绳，拽倒小木棍，被放下来的笼门关在笼子里。

罗塞大叔做完这一切，得意地出去喝酒了。粗中有细的爱迪没有立即扑向肥美的榛子，而是发现了机关。于是，他找来一支铅笔，支住笼门，这才放心地去享用榛子。

罗塞大叔酒足饭饱后，急忙回家查看笼子，却发现小松鼠没被关住，就连那颗榛子也不见了。当他看到支着笼门的铅笔后，不由得对聪明的爱迪刮目相看。

"这只松鼠和儿子太像了，都是既鲁莽又聪明。"罗塞大叔瞬间被他的聪明打动了，并决定把卧室留给他住。不知情的爱迪却误以为大叔也像以前的邻居一样，要对自己弃之不理。

　　他鼓足勇气，来到罗塞大叔面前说："您不用躲我啦，我这就换个地方住。"罗塞大叔诚心挽留他："孩子，留下吧，以前是我脾气不好。以后我会像对自己孩子一样来关心你、爱护你。"

小松鼠爱迪说："大叔，我以后一定做个让您喜欢的好孩子！"罗塞大叔和蔼地说："孩子，你不用为了我而改变。做好独一无二的自己才是最重要的。"